COSMO
LE DODO^{MC}

NOTRE HÉROS DE L'ENVIRONNEMENT

Coup de cœur environnement

La collection de Cosmo le dodo est un coup de cœur environnement, autant pour ses histoires reliées à l'environnement et à la biodiversité, que pour sa production respectant d'importants critères écologiques. Plusieurs organisations phares en matière d'environnement et de développement durable cautionnent cette collection. **D'ailleurs, le Prix Phénix en environnement lui a été décerné en 2009.**

Cosmo
LE DODO [MC]

Cosmo est un dodo, un oiseau coureur aux ailes trop petites pour voler. Il fait partie d'une espèce mythique qui a réellement vécu sur la Terre. À une époque pas très lointaine, lui et ses semblables régnaient sur une île paisible, isolée du monde connu par l'homme : l'île Maurice. D'une taille imposant le respect, les dodos vivaient uniquement dans ce paradis terrestre, à l'abri de tous les autres prédateurs.

Il y a environ 300 ans, seulement quelques années après l'arrivée des premiers marins sur l'île, les dodos ont quasi tous disparu...

Mais il reste encore Cosmo, le dernier des dodos sur la Terre.

Venu du futur, 3R-V est un vaisseau-robot conçu pour sauver des espèces disparues. Lors de sa toute première mission, les choses ne se sont pas déroulées comme prévu : il s'est perdu à jamais dans le passé! Atterri par accident sur l'île Maurice, 3R-V a fait la rencontre de Cosmo, qui est devenu son meilleur ami. Sa nouvelle mission : aider Cosmo à trouver d'autres dodos en voyageant de planète en planète dans l'Univers. Optimiste et dédié à la cause de son compagnon, 3R-V donne véritablement des ailes aux aventures de Cosmo.

La planète filante

Avec son nouvel ami 3R-V, Cosmo a espoir de rencontrer
d'autres dodos ailleurs dans l'Univers. Les explorations de
ces héros les ont menés à vivre plusieurs aventures sur de
nombreuses planètes...

Pour accélérer leurs recherches, Cosmo et 3R-V ont maintenant établi leur camp sur une planète filante libre d'orbite. De cette planète toujours en mouvement dans l'espace, nos héros continuent leurs recherches de dodos d'une galaxie à l'autre. Mais cette fois, Cosmo et 3R-V ne sont plus seuls dans cette aventure : ils font équipe avec de nouveaux compagnons sur la planète filante. Ensemble, ils forment désormais une communauté d'explorateurs dont les destins se sont liés, afin de vivre de grandes aventures.

Les deux têtes

Les deux têtes forment une créature spéciale très originale. Elle a un seul corps, mais deux têtes séparées, qui pensent chacune de leur côté. La tête droite est plus artistique et plus imaginative, plus émotive. La tête gauche est plus logique et plus scientifique. Lorsqu'elles ne sont pas occupées à réaliser leurs activités chacune de leur côté, les deux têtes passent leur temps à s'obstiner. Lorsqu'elles finissent par s'entendre, elles peuvent réaliser de grandes choses ensemble.

Fabri

Fabri est un grand naïf un peu inconscient. Maladroit de nature, il se met toujours les pieds dans les plats. Fabri est toutefois empli d'une bonne volonté, même si ses plans échouent la plupart du temps. Véritable boute-en-train du groupe, Fabri est une source d'énergie, d'humour et de gags.

Tornu

Tornu est en perpétuelle quête de pouvoir et de richesse. Il participe à l'aventure pour devenir riche, le plus riche de l'Univers. Ses tendances égocentriques le poussent à être plus solitaire et grognon. Ambitieux et débrouillard, Tornu possède un casque multifonctionnel qui se transforme selon ses besoins pour mettre en œuvre ses plans.

**Données de catalogage
avant publication (Canada)**

Les Éditions Origo
Les aventures de Cosmo
Concept original de Pat Rac

Le voleur de nocs – Cosmo le dodo
D'après une idée originale de Joannie Beaudet
Illustrations : Pat Rac
Collaboration visuelle : Jean-François Hains
Responsable de la rédaction : Joannie Beaudet
Collaboration éditoriale : Neijib Bentaieb
Vérification des textes : Audrée Favreau-Pinet, Jessica Hébert-Mathieu

ISBN 13 : 978-2-923499-16-1

Directeur littéraire : François Perras
Direction artistique : Racine & Associés
Infographie : Racine & Associés
Capital de risque : Technologies HumanID

Dépôt légal :
Bibliothèque nationale du Québec, 2009
Bibliothèque nationale du Canada, 2009

Les Éditions Origo
Boîte postale 4
Chambly (Québec) J3L 4B1
Canada
Téléphone : 450 658-2732
Courriel : info@editionsorigo.com

Imprimé au Canada

Gouvernement du Québec – Programme de crédit d'impôt
pour l'édition de livres – Gestion SODEC

Cosmo le dodo est une marque de commerce de Racine & Associés inc.

À tous les enfants de la Terre!

CHAPITRE 1

Planète en vue

C'est la nuit. Couché dans l'herbe, 3R-V ronfle à mes côtés. Je n'arrive pas à dormir. Je sors de mon nid et fais quelques pas. Les yeux tournés vers le ciel, je regarde les étoiles.

Nous sommes toujours sur la planète filante. Je suppose que tout le monde dort : Tornu, dans sa maison, Fabri, je ne sais pas, et les deux têtes sont sûrement tout près du télescope. Tête gauche s'éloigne rarement de son télescope, au cas où une planète croiserait notre chemin. Hélas, il y en a peu dans cette galaxie. C'est décourageant!

Soudain, 3R-V se tourne vers moi et m'écrase le pied.

— *Ouille!* Attention, 3R-V!

Paniqué, le vaisseau-robot se réveille et regarde tout autour de lui.

— **Quoi, quoi, quoi?** s'inquiète 3R-V.

— *Mon pied;* tu l'écrases.

— Oh! désolé! s'excuse 3R-V. Je croyais que les deux têtes venaient de trouver une nouvelle planète.

Je soupire :

— Non. C'est décevant! Elles scrutent continuellement le ciel avec leur télescope, mais sans résultat. Deux semaines sans croiser une seule planète.

— Cette galaxie est vraiment désertique, ajoute 3R-V en bâillant.

Une question me tourmente.

— Crois-tu que la prochaine galaxie contiendra plus de planètes?

– **Zzz**.

3R-V dort de nouveau. Quand il dort, celui-là, il dort. Le sol tremble à cause de ses ronflements. Je ne pensais pas qu'un robot ronflait.

Ah! comme le ciel est splendide ce soir! Aucun nuage ne cache les milliers d'étoiles. J'ai vu au moins quinze étoiles filantes depuis le début de la nuit. Chaque fois, je fais le même vœu :

Faites que je découvre une planète où vivent d'autres dodos comme moi.

Mes yeux commencent à se fermer. J'ai besoin d'une bonne nuit de sommeil. Demain, je veux être en forme pour aider les deux têtes dans leur observation de l'espace.

Un cri nous réveille.

3R-V et moi nous levons d'un bond. C'est le signal des deux têtes. Il y a donc une planète tout près d'ici.

Hourra!

Essoufflé, j'arrive près du télescope, suivi de 3R-V. Les deux têtes sont là. La tête droite nous salue, tandis que la tête gauche écrit ses observations dans un carnet.

— Vous avez repéré une planète?

— Oui, répond tête droite.

— Comment est-elle?

— **Habitable!** s'exclame tête gauche, l'œil dans son télescope. Il y a même de petites îles!

— Des îles comme l'île Maurice?

— Il y a trois îlots où poussent des arbres, **poursuit tête gauche.** Il y a un petit cours d'eau tout autour. Mais le reste de la planète est plutôt aride.

— Vois-tu des habitants sur cette planète?

Je m'interromps. Le sol tremble sous mes pieds. Tout à coup, Tornu sort de la terre, l'air mécontent.

— **Qui est responsable de ce boucan?** rugit-il. **Ça me dérange!**

— C'est le signal des deux têtes, lui dis-je. Tête gauche a repéré une planète avec son télescope.

— **Une planète?!** grogne Tornu.

— *Eh oui!* *Une planète magnifique,* ajoute tête droite, inspirée. *Que dire des îlots qui poussent ici et là, au milieu des flots.*

— S'il y a des îlots, il y a peut-être des dodos! précise 3R-V.

— **Ggrr! Tout ce brouhaha pour une planète!** grogne Tornu. **Au moins, y a-t-il de l'or, des bijoux ou d'autres trésors cachés sur cette planète?**

— Je l'ignore, **répond tête gauche.** Tu devras te joindre à Cosmo et à 3R-V lors de leur expédition pour le découvrir.

Tornu réfléchit à un moyen d'éviter ce voyage. Trop d'effort pour lui! Mais s'il y avait un trésor?

— **C'est bon,** capitule Tornu en se tournant vers 3R-V et moi. **Quand partons-nous?**

— Le plus tôt possible, **dit tête gauche.** La planète filante ne restera pas longtemps en orbite près de cette nouvelle planète.

— **Combien de temps avons-nous?** demande 3R-V.

— *Le temps, le temps... ce n'est pas important! Ça change tout le temps!* s'exclame tête droite, philosophique.

Tête gauche soupire et secoue la tête. Il se penche ensuite au-dessus de son carnet et écrit toutes sortes de calculs. Il lève les yeux et dit :

— À compter de maintenant, vous avez deux jours.

Sans perdre une seconde, 3R-V règle son chrono pour la mission.

— Nous partirons au lever du soleil, dis-je.

— C'est parfait pour moi, me répond 3R-V.

— **J'ai même le temps de dormir un peu!**

Tornu marche vers une roche et s'assoit à côté.
Il enlève son casque et s'allonge sur le sol.

— **Que personne ne me dérange,** ordonne Tornu.

Au moment où il ferme les yeux, Fabri arrive et
trébuche sur lui. Tornu est rouge de colère. Fabri l'ignore
et se lève, en panique.

— *Que se passe-t-il?! Je dormais et
soudainement, j'ai entendu des cris!*

Je prends Fabri par les épaules.

— ***Calme-toi!*** Tu as seulement entendu le signal
des deux têtes. Nous sommes en orbite autour d'une
nouvelle planète.

— ***Ah!***

— Tornu, 3R-V et moi décollons dans une heure. Notre objectif? Y découvrir la présence de dodos! De son côté, Tornu espère y trouver un trésor.

Fabri me regarde, déçu.

— Qu'est-ce que tu as, Fabri?

— *Vous avez tous une raison pour visiter cette planète,* dit le bonhomme mauve. *Moi, je n'ai rien à faire : ni mission, ni objectif. Je ne sers à rien.*

Tête gauche s'adresse à Fabri :

— Tu veux une mission, si j'ai bien compris?

Fabri hoche la tête.

— Rends-toi sur la planète avec les autres et prends des échantillons de la nature : feuilles, roches et ainsi de suite. J'en ai besoin pour mes expériences. Quant à tête droite, il veut de nouveaux modèles à peindre. **Acceptes-tu?**

— **Ah oui!** répond Fabri, fou de joie.

— Tu ne traîneras pas en route, hein? J'ai besoin de ces échantillons le plus tôt possible. J'ai hâte de les étudier.

— *Et moi, de les mettre en image, car une image vaut mille mots,* lance tête droite.

— **C'est promis! Mais... mais...** balbutie Fabri, **mais je n'ai pas de véhicule pour ma mission!**

— *Ce n'est plus un problème. Regarde!*

Les deux têtes font un pas sur le côté et révèlent un scooter de couleur verte. Fabri est émerveillé par ce bolide.

— *Tête gauche a conçu tout ce qui a trait à la mécanique. Le moteur utilise des énergies renouvelables.*

— Tête droite a réalisé le design : la couleur éclatante et la forme très moderne.

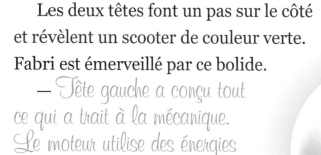

Fabri enfile le casque accroché à la poignée et grimpe sur son scooter. Aussitôt, il s'envole dans les airs. Content de lui, Fabri lâche le guidon et s'applaudit.

Le scooter part alors dans tous les sens. Fabri hurle, incapable de reprendre le contrôle. Les deux têtes lui crient d'appuyer sur le frein. Fabri s'exécute et l'engin s'arrête à quelques millimètres de Tornu. Fabri le regarde, penaud :

— *Désolé!*

CHAPITRE 2

Fabri, ne touche à rien!

Nous atterrissons sur la nouvelle planète. Il n'y a personne. Peut-être est-il trop tôt? Les habitants dorment-ils encore à cette heure matinale?

Notre petit groupe avance lentement. Chaque fois que Fabri aperçoit une roche particulière ou un grain de sable unique, il débarque de son scooter et prend un échantillon.

L'environnement de la planète est aride. La végétation pousse surtout près des îlots. Au loin, nous voyons de petits arbres. Parfois, à travers leurs branches, nous apercevons même de subtils scintillements.

Qu'est-ce qui brille ainsi? Tornu ne tient plus en place : il affirme que c'est le soleil qui se reflète sur des diamants. Bientôt, nous vérifierons s'il a raison... si Fabri cesse de nous ralentir, bien sûr.

Nous approchons du premier îlot.

— **Regardez!** crie Fabri. *Avez-vous vu tous ces arbres sur l'îlot? J'ai besoin d'un échantillon.* **Vite!**

Fabri délaisse son scooter, saute dans l'eau et monte sur l'îlot.

— **S'il y a un trésor sur cette planète, il est sûrement caché parmi ces arbres!** lance Tornu, excité.

Je me prépare à les suivre, mais 3R-V me retient.

— **Attends!** Quelque chose m'intrigue dans cette forêt. Elle semble… vivante.

— *Vivante?!* C'est vrai qu'elle est étrange. Crois-tu qu'il y a un danger?

— **Non,** dit 3R-V. Toutefois, soyons vigilants.

Nous traversons à notre tour le cours d'eau et nous avançons vers la végétation, où nous apercevons de curieux petits arbres. La taille de ces végétaux ne dépasse pas la tête de 3R-V. Chaque branche est enroulée sur elle-même, comme une spirale. Un fruit pend au bout de chacune des extrémités.

Tornu regarde tout ça d'un air boudeur.

— **Des fruits!** C'est tout ce qu'il y a sur cette planète! Pas d'or ni de diamants ni d'argent. **Ggrrr!** J'ai perdu mon temps avec d'insignifiants petits fruits.

Tornu arrache un fruit et le jette par terre. Avant qu'il touche le sol, Fabri l'attrape.

— *Eh! ne Fais pas ça! Ces Fruits ne sont pas insignifiants,* réplique Fabri. *Les deux têtes me Féliciteront de leur apporter une si belle trouvaille.*

Je m'éloigne de Fabri et de Tornu, puis je me dirige vers un des arbres.

— Ces arbres ne ressemblent pas à ceux de mon île. S'il y a des dodos sur cette...

Pouf! Je me tais, intrigué par ce bruit.

— **As-tu entendu ce bruit?** me demande 3R-V. **Les arbres ont bougé, juste là!**

— J'ai entendu comme un... un... un courant d'air.

Je fais un tour sur moi-même en scrutant les environs. Il n'y a personne, excepté Tornu qui boude dans un coin et Fabri qui tâte les fruits à la recherche du parfait échantillon pour les deux têtes.

POUF!

— Je ne sais pas ce qui a produit ce bruit, dis-je à 3R-V.

Je me tourne vers Fabri et Tornu pour les interroger.

— Avez-vous entendu un bruit?

— **Rien**, me répond Tornu. **Il y a juste de petits fruits, ici!**

— *Non, je n'ai rien entendu,* dit Fabri en touchant un fruit. ***Ah, celui-là est parfait!***

Fabri arrache le fruit. Au même moment, l'arbre explose sous ses doigts!

CHAPITRE 3

Noc, noc, noc

— **_Je n'ai rien fait,_** clame Fabri.

Tornu, 3R-V et moi-même regardons Fabri, abasourdis.

— Ne touche plus à rien!

— **Tout ce que tu touches se transforme en catastrophe**, gronde Tornu.

— _Je vous le jure, je n'ai rien fait! J'ai cueilli le fruit et **POUF,** l'arbre a explosé._

— Croyez-vous que la forêt est truffée de bombes? demande 3R-V, inquiet.

Nous ne bougeons plus, effrayés à l'idée de déclencher un autre piège explosif. Tout à coup, un rire résonne près de nous :

— Hi, hi, hi!

Une petite créature verte avec des rayures bleues
sort des arbres. Elle est à peu près de ma grandeur.
Elle a une petite antenne sur sa tête qui ressemble
aux spirales des branches.

— Vous devriez voir votre visage, s'esclaffe-t-elle.
Ne vous inquiétez pas, ma planète n'est pas un champ
de mines!

Nous respirons de nouveau, soulagés.

— J'oublie les bonnes manières. **Bonjour!** Je suis
Ménoc, le seul habitant de la planète Noc. Bienvenue
chez moi!

Le seul habitant... Il n'y a donc pas de dodos sur cette
planète. Je suis déçu. Toutefois, ma curiosité l'emporte
sur ma déception. Qui est ce Ménoc et pourquoi les arbres
explosent-ils sur sa planète?

— Bonjour, je suis Cosmo. Voici mes amis : 3R-V,
Tornu et Fabri.

Ménoc s'approche de nous et nous serre la main.
Lorsqu'il arrive devant Fabri, celui-ci laisse tomber le
fruit pour libérer sa main. Lorsque le fruit touche le sol,
Ménoc pousse brutalement Fabri, qui tombe un peu
plus loin. À l'endroit où se trouvait Fabri est apparu
un arbre.

— Attention avec les nocs, mon cher ami!

— *Les nocs?!* répète Fabri.

— Le fruit que tu tenais dans ta main est une noc. Lorsque ce fruit touche la terre, il devient un noquier en moins de temps qu'il ne te faut pour dire VLOUM!

— *Un noquier?!* répète Fabri.

— Les arbres autour de toi sont des noquiers. Ils ont une croissance particulière : ces arbres poussent en quelques secondes, vivent un court laps de temps puis explosent, libérant ainsi toutes leurs nocs!

— **Fabri n'était donc pas responsable de l'explosion,** s'exclame 3R-V. **L'arbre a explosé de façon naturelle au moment où Fabri cueillait la noc!**

— Exact, acquiesce Ménoc.

— ***Ces nocs sont surprenantes,*** dis-je.

— Et vous ne les avez pas encore goûtées! Suivez-moi. Je vous invite à ma maison. Vous pourrez boire ma spécialité : **les nocolachauds!**

Le cycle de vie de la noc

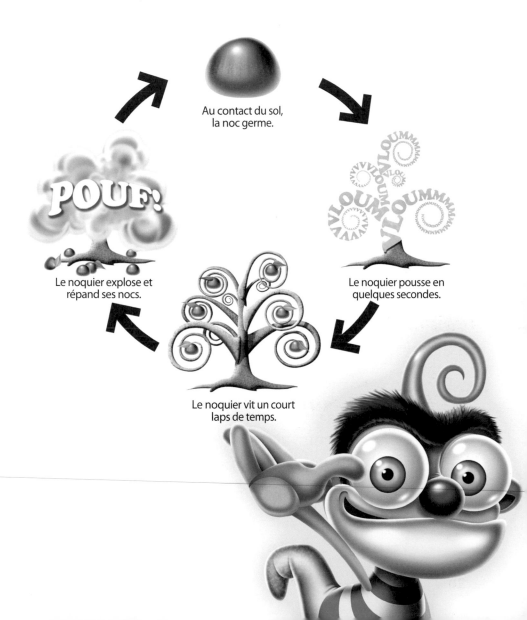

Au contact du sol,
la noc germe.

Le noquier pousse en
quelques secondes.

Le noquier vit un court
laps de temps.

Le noquier explose et
répand ses nocs.

POUF!

CHAPITRE 4

Miam, miam

Ménoc prend les devants. Il sort de la forêt, puis traverse le cours d'eau autour de l'îlot. Ensuite, il commence l'ascension d'une colline. Nous marchons derrière lui. En chemin, Ménoc nous décrit sa planète :

— Ma maison est située tout en haut de la colline. Je l'ai construite moi-même, à partir d'écorce de nocs.

— La noc est donc un fruit très important pour toi, n'est-ce pas?

— Plus qu'important! Elle est nécessaire à ma survie. La noc est la seule ressource comestible de ma planète. Sans ce fruit, je disparaîtrais!

Nous arrivons enfin au sommet de la colline. D'ici, le bruit des arbres qui explosent est comme un murmure. Ménoc se tourne vers nous et regarde le paysage.

— De ma maison, j'ai la plus belle vue de la planète.

— *Wow!*

— D'ici, je vois les trois petits îlots de ma planète où poussent les noquiers.

Ménoc regarde derrière lui.

— Voici ma maison.

— **C'est petit**, critique Tornu.

— Ne t'inquiète pas, il y a de la place pour tout le monde autour de la table. Assoyez-vous!

La seule pièce de la maison est effectivement petite, mais charmante.

— C'est chaleureux, chez toi.

— Merci, Cosmo!

Je m'assois autour de la table basse, située au centre de la pièce, et je regarde Ménoc. Il court d'un bord et de l'autre : il réchauffe de l'eau au-dessus d'un petit foyer; il sort des bols de l'armoire; il prend des nocs dans un plat et les jette dans l'eau bouillante; puis, il brasse le tout. Soudain, il s'arrête et regarde 3R-V.

— Est-ce que tu prends un bol de nocolachaud avec nous, 3R-V? Je ne connais pas le régime alimentaire d'un vaisseau-robot.

— Je ne peux ni manger, ni boire. Merci.

— C'est triste... tu manques vraiment quelque chose.

Ménoc trempe une louche dans le chaudron au-dessus du feu, puis goûte à la mixture.

— C'est prêt!

Le Nocien verse le liquide dans quatre bols. Ensuite, il me donne une portion, une autre à Fabri et une à Tornu. Il garde le dernier bol pour lui.

— Bonne dégustation! lance Ménoc.

Je prends la première gorgée. Aussitôt, il y a une explosion de saveurs dans ma bouche. Le nocolachaud est délicieux, que dis-je, **sublime**! Même Tornu, habituellement de mauvaise humeur, est en extase et sourit.

— **Miam! Quelle est la recette de ce nectar?** demande Tornu.

— De l'eau chaude et une noc!

Ménoc retourne à la cuisine.

— L'heure du dîner approche à grands pas.
Laissez-moi vous préparer une autre recette avec
la noc : **le nocaroni.**

Quelques minutes plus tard, Ménoc nous sert une
assiette fumante de nocaroni. Cette recette est également
délicieuse. Nous mangeons comme des gloutons.

À la fin du repas, l'après-midi est déjà bien avancé.
Fabri demande quand même une autre portion à Ménoc.
Sa troisième assiette de nocaroni! Tornu lui dit toutefois :

**— N'as-tu pas quelque chose à
faire, Fabri?**

— Quelque chose à faire? **Non...**

**— La mission pour
les deux têtes?**

— Oh! C'est vrai!
Bah! je la finirai tantôt!

— **N'oublie pas leurs paroles :**
« Tu ne traîneras pas en route, hein? »
— *Tu as raison!*

— **De plus, le soleil se couche bientôt et tu ne verras plus rien sur la planète. Comment trouveras-tu tous les échantillons dont tu as besoin? À ta place, je me dépêcherais... Veux-tu que je t'aide?**
— *Oh! tu ferais ça pour moi!*

— **Bien sûr! De toute façon, il n'y a pas de trésors sur cette planète. Je n'ai rien à faire ici.**

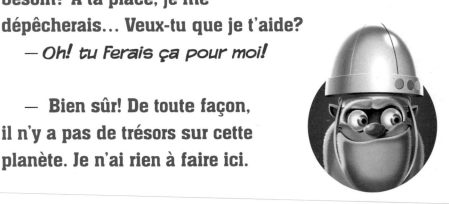

— *Merci pour le repas, Ménoc.*
— *Ça m'a fait plaisir, Fabri. À bientôt, j'espère!*

3R-V et moi aidons Ménoc à débarrasser la table. Ensuite, nous sortons à l'extérieur. Au loin, nous apercevons Tornu et Fabri. Ils ont terminé la cueillette d'échantillons. Tornu transforme son casque en fusée, puis s'envole. De son côté, Fabri enjambe son scooter. Il décolle et perd le contrôle de son bolide. Fabri a encore besoin de leçons de conduite! Après quelques secondes, les deux amis sont disparus dans l'espace. Ménoc se tourne alors vers nous.

— Voulez-vous dormir sur ma planète cette nuit? J'ai quelque chose à vous montrer...

CHAPITRE 5

Une nuit explosive!

Ménoc prépare nos lits pour la nuit. Ensuite, il regarde dehors.

— **Enfin,** le soleil est couché, murmure-t-il. **Suivez-moi.**

Nous sortons de sa maison. Ménoc nous invite à regarder vers les îlots. Partout, de petites lumières brillent et s'éteignent. J'ai le souffle coupé par tant de beauté.

— Qu'est-ce qui provoque ces scintillements? demande 3R-V.

— Lorsqu'un noquier explose, il produit cette lumière. En mourant, il donne naissance à plusieurs nouveaux arbres. Ces étincelles représentent le cycle de la vie. Chaque soir, je viens ici et je profite de ce beau spectacle que m'offre la nature.

Je suis hypnotisé par les petites explosions. Soudain, je m'aperçois que les scintillements sont multipliés par la présence d'eau autour des îlots. La lumière s'y réfléchit pour le grand plaisir de mes yeux.

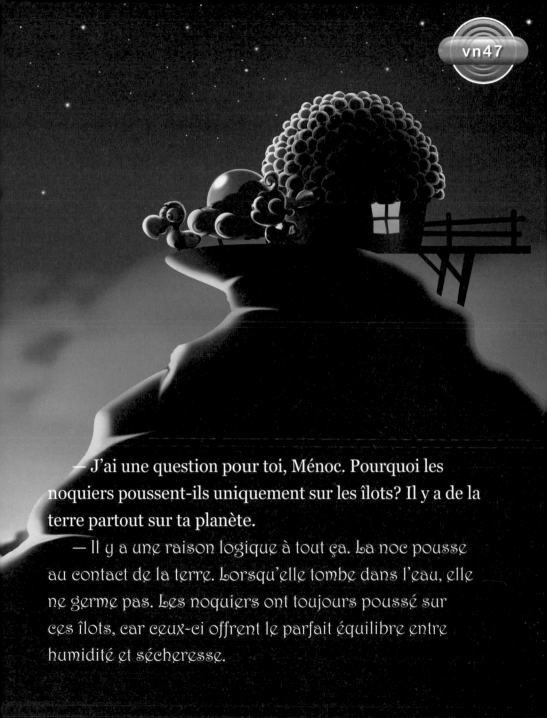

— J'ai une question pour toi, Ménoc. Pourquoi les noquiers poussent-ils uniquement sur les îlots? Il y a de la terre partout sur ta planète.

— Il y a une raison logique à tout ça. La noc pousse au contact de la terre. Lorsqu'elle tombe dans l'eau, elle ne germe pas. Les noquiers ont toujours poussé sur ces îlots, car ceux-ci offrent le parfait équilibre entre humidité et sécheresse.

Au contact de l'eau, la noc ne germe pas.
Le cycle est ainsi interrompu.

— Donc, l'eau autour des îlots empêche les noquiers de se répandre sur ta planète.

— Tu as bien compris.

— Pourquoi?

— Si l'eau ne contenait pas la plantation, il y aurait des noquiers partout. Je n'aurais plus d'espace pour vivre.

— *Aaah!* La nature fait bien les choses.

— De toute façon, ces trois îlots suffisent à mes besoins.

— C'est vrai! À la vitesse où les nocs poussent, tu n'en manqueras jamais... *Aaaaoooouuu!*

J'ai de la difficulté à retenir mes bâillements. Le bruit des noquiers qui explosent est très soporifique.

— Bon, tout le monde au lit! Et que ça saute!

CHAPITRE 6

Nom d'une noc

— **Nom d'une noc!** crie Ménoc.

Je me réveille. Aussitôt, je constate que quelque chose ne tourne pas rond. Tout est beaucoup trop silencieux. Pourquoi je n'entends plus l'explosion des noquiers au loin?

Je me lève d'un bond. Je me précipite à l'extérieur avec 3R-V. Ménoc est déjà là.

— **Mes noquiers! Mes noquiers!** répète-t-il, paniqué.

— ***Que se passe-t-il, Ménoc?***

Mes yeux se tournent alors vers les îlots. Quelle catastrophe! ***Les noquiers... ils ont disparu!***

— Que vais-je devenir sans mes précieuses nocs? sanglote Ménoc. Si au moins il m'en restait une... mais nous avons mangé toute ma réserve, hier.

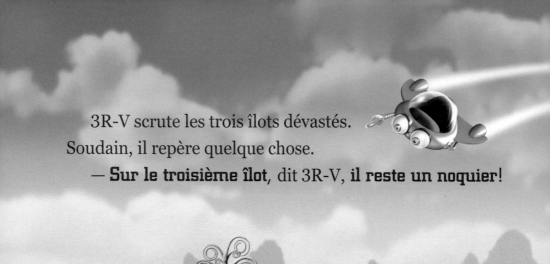

3R-V scrute les trois îlots dévastés.
Soudain, il repère quelque chose.
— **Sur le troisième îlot**, dit 3R-V, **il reste un noquier!**

L'espoir renaît chez Ménoc. Il court vers le troisième îlot. J'embarque à bord de 3R-V et nous décollons. En chemin, 3R-V agrippe Ménoc et le dépose directement sur le troisième îlot.

Dès que ses pieds touchent le sol, Ménoc se jette sur le dernier noquier. Il fait le tour de l'arbre à la recherche d'une noc.

— **Il n'y a plus de nocs,** gémit Ménoc. Elles ont été arrachées par quelqu'un. Regardez de plus près...

Nous nous approchons pour examiner la branche, mais le noquier explose avant même que nous le touchions.

POUF!

— Le... le... dernier noquier, **dit Ménoc, désemparé.** Sans noc, il n'y aura plus jamais de noquiers sur ma planète. Je n'aurai plus rien à manger!

3R-V s'approche du Nocien et le serre dans ses bras. Je réfléchis quelques secondes au problème de Ménoc. Soudain, un détail retient mon attention :

— Ménoc, as-tu dit qu'une personne a arraché les nocs?

— Oui, l'extrémité des branches était effilochée.

— Il y a donc un voleur de nocs!

— **Grrr!** Ce voleur de nocs est mieux de bien se cacher, **rugit Ménoc. Si je mets la main dessus, je vais... je...**

— Tu me donnes une idée! Tout n'est pas perdu, il y a un espoir!

— Un espoir?! **dit Ménoc, curieux.**

— Le voleur de nocs a probablement caché les nocs!

Trouvons le voleur et sa cachette, et tu reverras tes précieuses nocs!

— Tu as raison, il y a de l'espoir, s'exclame Ménoc.

— **As-tu des suspects en tête?** me demande 3R-V.

La question de 3R-V est très pertinente. Qui est le voleur de nocs?

— Ménoc, y a-t-il d'autres planètes habitées près d'ici?

— Je ne pense pas.

— Es-tu certain d'être le seul habitant de la planète Noc?

— Je n'ai jamais vu personne. Il n'y a que moi.

— ***Hum...*** Donc, le voleur de nocs vient probablement de la planète filante.

— **Un de nos amis a-t-il commis ce vol?!** demande 3R-V, perplexe. **Qui?**

— Les deux têtes? proposé-je. ***Non...***

— **Fabri?** suggère 3R-V. **Non**...

— ***Tornu?***

Nous nous regardons, 3R-V et moi.

— ***Tornu!***

CHAPITRE 7

Que faisais-tu la nuit dernière?

3R-V se pose sur la planète filante. Aussitôt, je bondis sur le sol et cours vers le télescope. Lorsque les deux têtes me voient, elles s'élancent vers nous :

— Je viens de regarder dans la lunette du télescope, lance tête gauche. **Tous les arbres de la planète ont disparu!**

— *Un véritable massacre,* ajoute tête droite, la larme à l'oeil.

— Je sais, leur réponds-je. Nous cherchons le responsable... ***le voleur de nocs!***

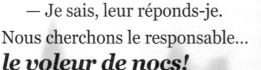

— Pourquoi êtes-vous ici?

— Nous croyons que le voleur est nul autre que **Tornu**.

— **Avez-vous dit mon nom?**

Assis près d'un rocher, Tornu lève les yeux. Il enfile son casque sur lequel il travaillait, puis il s'avance vers 3R-V et moi.

— **Que se passe-t-il?**

— Les nocs ont disparu, dit 3R-V. **Quelqu'un les a volées!**

— **Oohhh!** **C'est terrible pour Ménoc! Qui a pu lui faire ça? Si quelqu'un volait mon trésor… Ggrrr!**

Je pointe Tornu du doigt :

— *Je pense que c'est toi!*

Tornu me regarde, abasourdi.

— **Moi… le voleur de nocs? Tu te trompes!**

— Où étais-tu la nuit passée?

— **J'ai travaillé sur mon casque toute la nuit. Je viens d'y insérer une nouvelle fonction. Maintenant, mon casque se transforme en loupe géante.**

— Est-ce vrai?

— Cosmo, il dit la vérité, confirme tête gauche.

— Toute la nuit, il était là, penché au-dessus de son casque, précise tête droite.

Tornu a un bon alibi. Il n'est pas le voleur de nocs. Alors, qui est le coupable?

— *Fabri!*

— **Fabri? Quoi?** demande Tornu.

— C'est le voleur de nocs!

— **Fabri?! Es-tu sérieux, Cosmo? Crois-tu vraiment que Fabri est le voleur de nocs?**

— J'avoue que mon hypothèse est tirée par les cheveux.

— **Vous imaginez Fabri en train de voler? C'est le pire maladroit que j'ai rencontré dans ma vie!**

— Tu as sûrement raison. Fabri est innocent.

Je suis de retour à la case départ. Je n'ai aucune piste, aucun indice, aucun suspect. Plus la journée avance, moins j'ai de temps pour aider Ménoc. Bientôt, la planète filante quittera l'orbite de la planète Noc.

— **As-tu étudié la scène du crime?** demande Tornu, curieux.

— Non, mais c'est une bonne idée, Tornu!

Je grimpe à bord de 3R-V.

— *Vite 3R-V!*

— **Attends, Cosmo!** lance Tornu. **Puis-je vous accompagner? Je n'aime pas l'idée qu'un voleur soit en cavale tout près d'ici… et s'il volait mon unique et précieuse pièce d'or? Laissez-moi vous aider à le coincer.**

— Pas de problème, Tornu. De plus, le nouveau gadget sur ton casque facilitera notre travail. Mais, qui surveillera ta pièce d'or pendant ce temps?

— **Lézardo est là. Il la protégera.**

Quelques secondes plus tard, nous filons dans l'espace.

CHAPITRE 8

Pas à pas

Nous atterrissons sur la planète Noc. Nous cherchons Ménoc. Soudain, Tornu le repère sur le premier îlot. Ménoc tourne en rond et répète sans cesse :

— Mes nocs, mes nocs!

Tornu traverse le cours d'eau et se jette dans les bras de Ménoc.

— **Je te comprends, mon ami. Si quelqu'un touchait à ma pièce d'or, je verserais toutes les larmes de mon corps!**

Ménoc écarquille les yeux, surpris par l'affection de Tornu.

— Euh... merci!

Tornu s'écarte de Ménoc et entre le code suivant sur son casque :

Son casque devient alors une loupe géante. Tornu se tourne vers Ménoc, puis dit :

— J'identifierai le voleur de nocs, ne t'inquiète pas!

Tornu inspecte l'îlot à la recherche d'un indice. Pendant ce temps, Ménoc s'approche de 3R-V et moi.

— N'accusiez-vous pas Tornu d'être le voleur de nocs un peu plus tôt? murmure le Nocien.

— Il a un alibi en béton, répond 3R-V. Ce n'est pas lui le coupable.

— Ooh! Donc, vous n'avez plus de suspect?

— *Non...*

Soudain, Tornu apparaît derrière Ménoc et lui donne de petites tapes sur l'épaule. Lorsque le Nocien se tourne vers lui, Tornu lui murmure quelques mots à l'oreille. Ménoc fait les yeux ronds et nous jette un coup d'œil.

— *Que se passe-t-il?*

Ménoc nous tourne le dos et accompagne Tornu de l'autre côté de l'îlot. Intrigués, 3R-V et moi les suivons. À notre arrivée, Tornu s'écarte et nous pointe le sol. Il y a une empreinte.

— Oh! Tornu! Tu as trouvé un indice, dis-je, tout heureux.

— **Oui**, me répond-il sérieusement. **C'est l'empreinte du voleur de nocs.**

Quelque chose ne va pas... Tornu a les bras croisés, l'air sévère. Quant à Ménoc, il me jette un regard soupçonneux. Il observe surtout mes pieds et ceux de 3R-V.

— Pourquoi nous regardes-tu comme ça? demande 3R-V.

— Vos pieds! répond Ménoc.

3R-V soulève ses pieds et les regarde. Je fais la même chose.

— Qu'est-ce qu'ils ont?

— **Leur forme est identique à l'empreinte que j'ai découverte**, répond Tornu.

Je m'avance vers l'empreinte et l'observe attentivement. Tornu dit la vérité!

— Un de vous deux est le voleur de nocs! lance Ménoc, sous le choc.

Stupéfait, je lève les yeux vers lui et dis :

— Je ne suis pas le voleur de nocs!

— **Moi non plus!** ajoute 3R-V. Que ferais-je avec des nocs! Je ne mange pas.

Ménoc est confus.

— **J'ai une idée,** dit Tornu. **Faites une empreinte de votre pied à côté de celle du voleur de nocs. Nous verrons ainsi qui de vous deux dit la vérité!**

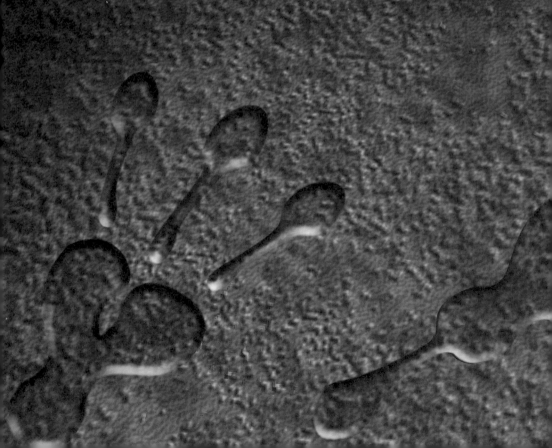

3R-V s'avance le premier. Il pose son pied sur le sol et le relève. L'empreinte du vaisseau-robot est plus profonde et plus grande que celle du voleur de nocs.

— **Vous voyez, je suis innocent!** proclame 3R-V.

Tous les regards se tournent vers moi. J'avance à mon tour et j'imprime la forme de mon pied sur le sol. L'empreinte est identique à celle du voleur de nocs...

— Cosmo, c'est toi le voleur de nocs, accuse Ménoc. Dire que je t'ai reçu comme un ami dans ma maison!

— Mais... mais... je suis innocent!

— **La preuve est irréfutable**, réplique Tornu.

— ***Attendez!*** Je connais une autre personne qui a cette forme de pied : Fabri.

Ménoc est de nouveau confus.

— **Ce n'est pas Fabri!** dit rapidement Tornu. **Ses pieds sont plus grands que les tiens.**

— Malheureusement, Tornu a raison, confirme 3R-V. Fabri a des pieds aussi grands que les miens...

Ménoc s'approche, menaçant. Je recule de quelques pas. 3R-V s'interpose entre lui et moi. Je réfléchis quelques secondes au problème.

3R-V et Fabri sont innocents : leurs empreintes ne concordent pas avec celle du voleur de nocs. Je sais également que je suis innocent. **Qui est donc le coupable?** Qui a une empreinte comme la mienne? Soudain, une idée me traverse l'esprit.

— Et si... et si c'était un autre dodo?

— Balivernes! proteste Ménoc. Tu es le premier dodo que je rencontre... Voudrais-tu me faire croire que dans la même journée, deux dodos différents ont visité ma planète?! Balivernes! Tu es le coupable!

Je n'écoute plus Ménoc. Dans ma tête, une seule pensée persiste : il y a peut-être un dodo tout près d'ici...

CHAPITRE 9

La grande noc

Ménoc continue à m'accuser haut et fort :

— Tu es le voleur de nocs! Mes nocs, **où sont-elles?**

3R-V le retient toujours de force. De son côté, Tornu transforme son casque en fusée. Il entre le code suivant :

— Je retourne à la maison! Quand je pense que Cosmo est en fait un voleur! déplore Tornu. **Il a peut-être volé des trucs chez moi!**

Tornu décolle et vole vers la planète filante. Je le regarde sans le voir. Je suis perdu dans mes pensées. Ménoc continue à m'injurier. 3R-V se tient toujours entre lui et moi.

Soudain, Ménoc se faufile entre les jambes du vaisseau-robot et saute sur moi. Je tombe sur le dos.

Ménoc pose son pied sur mon ventre et me pointe du doigt.

— Dis-moi où sont mes **nocs!** me menace le Nocien.

— *Je... je... ne sais pas!*

Je dis la vérité, mais Ménoc ne me croit pas. Il est rouge de colère. La perte de ses nocs lui a fait perdre la raison. Ménoc se jette sur moi. Je roule sur le côté et j'évite l'attaque. 3R-V me crie :

— Saute à l'intérieur, Cosmo!

Je me réfugie dans la coquille de mon ami. Ménoc cogne à la vitre. Heureusement, 3R-V est très solide. Maintenant que Ménoc ne peut plus m'atteindre, je soupire, soulagé.

— Cosmo, je sais que tu es innocent, me dit 3R-V, compatissant.

— Peut-être, mais tous les autres me croient coupable.

— Il faut leur prouver le contraire!

— **Comment?** je lui demande, découragé.

— Laisse-moi y réfléchir.

Aussitôt, 3R-V se replie sur lui et fouille dans sa mémoire électronique. En attendant, je regarde à l'extérieur. Ménoc est toujours près de nous.
Il tourne autour du vaisseau-robot et se frotte la tête.
Après quelque temps, Ménoc baisse la tête et retourne chez lui. Avant de partir, il me pointe du doigt, menaçant. Sur ses lèvres, je lis les mots suivants :
« Je te garde à l'œil! ».

Au moment où Ménoc disparaît au loin, 3R-V sort de sa transe.

— **J'ai une idée!** lance 3R-V. Tendons une embuscade au voleur de nocs.

— Comment espères-tu l'attirer dans notre piège?

— Le voleur de nocs a pris toutes les nocs, n'est-ce pas?

Je hoche la tête.

— Donc, son objectif est de posséder toutes les nocs de l'Univers. Offrons-lui la plus belle prise imaginable!

— Que veux-tu dire?

— Construisons un cheval de Troie : **une noc géante!**

— *Quoi?!*

— Suis-moi, dit 3R-V. Tu comprendras tout bien assez vite.

***

Nous terminons la construction de la noc de Troie. Au même moment, Ménoc apparaît près de nous, excité.

— Que penses-tu de notre noc? demande 3R-V.

— Une noc... une noc géante! s'exclame
le Nocien. Où l'avez-vous trouvée?

— ***Nous l'avons construite!***

— Ce... ce n'est pas une vraie noc, constate Ménoc,
désenchanté.

— **Non**, confirme 3R-V. C'est un piège pour coincer
le voleur de nocs. Comme le cheval de Troie, nous nous
cacherons à l'intérieur de la noc géante et attendrons
que le voleur de nocs se pointe le bout du nez.

— C'est inutile, lance Ménoc. C'est Cosmo, le
voleur de nocs.

— **J'ai de grands doutes**, insiste 3R-V.

Mon ami hausse les épaules et dit ensuite :

— De toute façon, notre noc est construite. Nous
ne perdons rien à essayer notre idée. Si tu as
raison, personne ne tombera dans le piège. Si tu as
tort, nous coincerons le véritable voleur de nocs et
innocenterons Cosmo.

Ménoc hésite.

— Si notre plan fonctionne, tu récupéreras peut-être tes nocs… avance le vaisseau-robot.

— J'accepte, répond finalement Ménoc, mais je vous garde à l'œil!

Quelques minutes plus tard, tout est prêt. Nous prenons place dans la noc géante. Celle-ci est visible partout dans la galaxie! Il nous suffit d'attendre que le voleur de nocs la repère.

J'espère qu'il ne tardera pas. La nuit tombe. À l'aube, la planète filante quittera l'orbite de la planète Noc.

CHAPITRE 10

Les pieds dans les plats

Nous attendons. Nous ne voyons rien à l'extérieur, mais nous entendons très bien. Au bout de quelques heures, Ménoc commence à s'impatienter. Il soupire à côté de moi :

— Je perds mon temps... Tu es le voleur de nocs!

De mon côté, mon cœur palpite. Et si je découvrais que le voleur de nocs est en fait un dodo?

Quelques secondes plus tard, quelqu'un marche dans l'eau! Ménoc sursaute et agrippe mon aile. Je murmure à son oreille :

— ***Attends mon signal!*** Assurons-nous que c'est bien le voleur de nocs.

Ménoc hoche la tête. Soudain, le suspect donne trois petits coups sur la noc.

Toc, toc, toc!

Il n'y a plus un bruit à l'extérieur. C'est frustrant, nous ne voyons rien! Que fait le suspect? Est-ce un dodo? Une voix s'élève alors et brise le silence :

— **Ah la la!** *Comment ai-je pu manquer cette noc? Elle est si* **grosse!**

Ménoc me tire sur l'aile :

— C'est lui, c'est lui! C'est le voleur de nocs! Tu n'es donc pas coupable!

— Chut!

Cette voix… je la connais! J'ai son nom sur le bout de la langue. Une chose est certaine, ce n'est pas un dodo. Mes épaules s'affaissent, je suis si déçu. Au moins, j'ai la preuve de mon innocence. Le voleur de nocs parle de nouveau :

— J'ai bien fait de venir une dernière fois sur la planète Noc!

Nom d'un dodo dodu. C'est Fabri! C'est le moment : je donne le signal! Nous attendons que 3R-V ouvre la porte. Le vaisseau-robot pousse sur la paroi, mais rien ne se passe.

— Le mécanisme de l'ouverture est coincé! dit 3R-V.

Tout à coup, j'entends Fabri qui s'enfuit :

— Aaaaaahh!! La noc est vivante!

— Vite, 3R-V! Rattrape-le!

3R-V sort ses pattes.

— Je ne vois rien, Cosmo!

— Fie-toi au bruit, 3R-V. Cours!

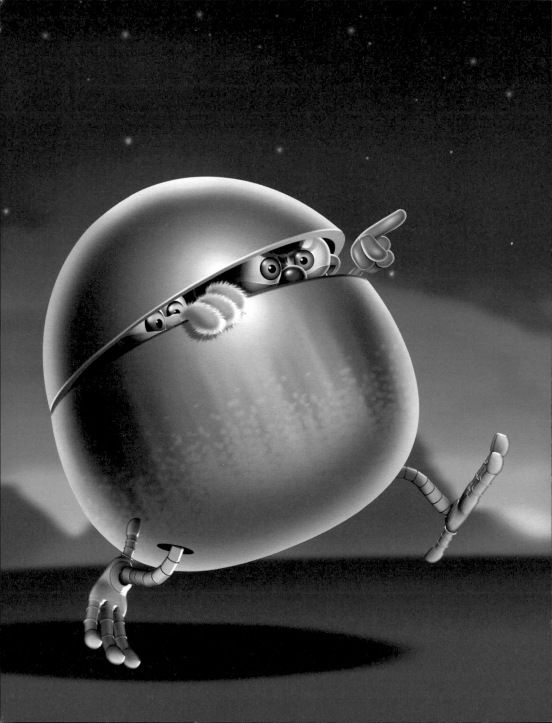

3R-V se lance à l'aveuglette à la poursuite de Fabri. La noc géante tangue dans tous les sens. J'entends le cri d'effroi de Fabri lorsqu'il aperçoit la noc géante instable.

— **Aaaah!** hurle-t-il. *La noc géante maaaarche!*

3R-V parvient à entrouvrir la porte. Par la fente, Ménoc et moi apercevons toute l'action. Nous guidons 3R-V afin qu'il attrape le voleur de nocs.

Fabri court devant nous. Il regarde toujours derrière lui, paniqué. Soudain, il trébuche sur une roche et s'affale sur le sol.

Oh non! 3R-V fonce droit sur la même pierre. Rapidement, je l'avertis :

– **Attention...**

Trop tard! Le vaisseau-robot heurte l'obstacle et tombe sur Fabri. Sur le coup, le mécanisme de la porte se débloque. 3R-V attend avant de sortir, il est trop étourdi par la chute.

Pendant ce temps, sous la noc, Fabri gigote.

— *Libère-moi, noc géante!*

— **Nous te tenons, Fabri,** lui dis-je.

— *Tu... tu... tu connais mon nom?!* s'étonne Fabri.

— **C'est moi, Cosmo.** Je suis à l'intérieur.

— *Cosmo?! La noc... elle t'a mangé?*

— **Non,** soupiré-je, je me cachais dans la fausse noc.

— *Une... une fausse noc?* demande Fabri, perplexe.

— **Elle n'est pas vraie,** confirme 3R-V.

— *3R-V, c'est toi?*

— **Oui,** dit le vaisseau-robot.

Debout sur ses pieds, 3R-V ouvre la porte de la fausse noc. Aussitôt, Ménoc sort et bondit sur le sol. Lorsque Fabri nous voit, il s'esclaffe :

— *Ha, ha, ha! Vous m'avez bien eu!*

— **Ce n'est pas une farce, Fabri!** lui répliqué-je. Nous te tendions un piège.

— *Pourquoi?*

— **Ne fais pas l'innocent, Fabri!**

Ménoc prend alors la parole, rouge de colère.

— Tu es le voleur de nocs **et nous t'arrêtons.**

— *Un voleur de nocs,* **moi?** *Je ne savais même pas qu'un voleur de nocs rôdait dans les parages.*

— Ne le nie pas! rugit Ménoc. Il y a quelques minutes, tu essayais de voler cette noc géante!

— **Je ne la volais pas!** *D'ailleurs, je n'ai jamais volé une noc de ma vie!*

— Balivernes!

Ménoc bondit sur Fabri, qui tombe sur le dos. Pour se protéger, Fabri lève ses pieds et les bouge de droite à gauche.

— ***Ne t'approche pas de moi!*** crie Fabri.

Ménoc recule de quelques pas. Il regarde alors les grosses bottes de pluie de Fabri.

— Hé! Regardez la semelle de ses bottes. Elle a la forme de tes pieds, Cosmo!

Je m'approche et observe les bottes de Fabri. J'y compare mon pied. Ménoc a raison!

— ***Fabri,*** ces bottes confirment que tu es coupable. C'est toi qui as pris toutes les nocs de Ménoc.

— ***Oui,*** acquiesce Fabri. ***J'ai cueilli toutes les nocs.***

— **Vous voyez,** s'exclame Ménoc, il avoue que c'est lui, le voleur de nocs!

— **Non!** s'objecte Fabri. *Je ne suis pas un voleur!*

— Tu viens de dire que tu les as prises!

— *C'est vrai,* confirme Fabri, *mais je ne les ai pas volées! Je travaille pour Tornu.*

— **Quoi?!**

— **Oui, oui!** confirme Fabri. *Je travaille pour Tornu. Je cueille pour lui toutes les nocs de la planète et, en échange, il me cuisine du nocaroni. Mmm! En plus, c'est lui qui m'a donné ces bottes de travail imperméables!*

— **Balivernes!** réplique Ménoc. Tornu n'a rien d'un voleur! Il est même venu ici pour me soutenir.

— *Je vous le jure,* dit Fabri. *Demandez-lui, il vous le confirmera.*

Fabri dit-il la vérité? Si oui, Tornu nous a menti.

— Si tu as raison, Fabri, je doute que Tornu avoue sa responsabilité dans cette histoire. Il est un bon menteur...

— *Je... je ne suis pas coupable,* pleurniche Fabri.

Je pointe un doigt vers Fabri et je lui réplique :

— *C'est faux!* Si ton histoire est vraie, tu es le complice de Tornu. Tu n'es peut-être pas le cerveau de l'opération, mais tu as quand même pris toutes les nocs.

— *Mais, je ne savais pas que c'était mal de cueillir les nocs.*

— Tu as agi sans te poser de questions! Tu as obéi aveuglément sans penser aux conséquences. Ménoc a tout perdu! Sans les nocs, il n'a même plus de nourriture.

— *Oh, tu as raison!* répond Fabri, tout penaud. *Moi et ma mauvaise manie de tout gober! J'ai compris la leçon. Donc, hum... tout est pardonné?*

— Balivernes! s'insurge Ménoc. Toutes les preuves sont contre toi! Tu as laissé une empreinte de ta botte et en plus, nous t'avons pris la main dans le sac! Tornu a toujours été gentil avec moi... C'est toi, le voleur de nocs! Tu as pris toutes mes nocs... je n'ai plus rien! Et tu voudrais que je te pardonne!? Jamais!

— *Les nocs?!* demande Fabri. *Je sais où elles sont cachées... Elles sont dans la maison de Tornu!*

— Dans sa maison!? répété-je **Allons-y!** Comme ça, nous aurons la preuve de la culpabilité de Tornu. En plus, Ménoc, tu récupéreras tes nocs!

— Non, s'écrie Ménoc. C'est sûrement une ruse de Fabri! Il a mis les nocs là pour que nous accusions Tornu! Il a fait la même chose avec l'empreinte. Il voulait que nous t'accusions, Cosmo.

— Fabri n'est pas assez malin pour imaginer de tels stratagèmes, précise 3R-V. Par contre, Tornu a le profil d'un voleur et il est très rusé.

— Prouvez-le-moi! exige Ménoc. Arrangez-vous pour avoir les aveux de Tornu!

Je réfléchis quelques secondes au problème. Si Fabri a raison, comment obliger Tornu à avouer son crime? 3R-V s'approche de moi.

— Cosmo, as-tu un plan? demande 3R-V. Il nous reste peu de temps...

— Ne t'en fais pas, j'ai une idée!

CHAPITRE 11

Le rôle de Fabri

J'explique les détails de mon idée à Ménoc et à 3R-V : infiltrer la maison de Tornu dans la fausse noc et attendre qu'il se fourvoie dans ses mensonges. Le Nocien accepte avec hésitation : il croit que Fabri est le voleur de nocs. S'il se trompait encore une fois?

Ensuite, je me tourne vers Fabri. Nous avons besoin de lui pour tromper Tornu.

— ***Et toi, Fabri,*** tu apporteras la noc jusqu'au repère de Tornu.

— *Pourquoi?*

— Pour piéger Tornu et lui faire avouer son crime.

— *Pourquoi?*

— Pour t'innocenter.

— *Pourquoi?*

— ***Pourquoi poses-tu toutes ces questions?*** lui demandé-je, quelque peu énervé.

— *Tu m'as dit de toujours poser des questions avant d'agir.*

— *Aah...* c'est vrai! Je t'ai aussi dit de réfléchir par toi-même. Alors, est-ce que tu nous aides?

— *Oui!*

— Parfait! Tout le monde en place. Le temps file! Fabri, as-tu besoin d'aide pour attacher la noc géante à ton scooter?

— *Non, non!* **Hi, hi, hi!**

— Pourquoi ris-tu?

— *J'imagine la tête de Tornu au moment où il vous découvrira dans la noc!* **Hi, hi, hi!**

— **Fabri, un peu de sérieux!** gronde Ménoc. Cette mission est importante! Je veux revoir mes nocs!

— **C'est bon, c'est bon!**

Ménoc et moi entrons à l'intérieur de 3R-V. Fabri attache la fausse noc à son scooter avec une corde. Il décolle vers le ciel, en direction de la planète filante.

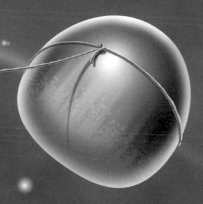

Fabri vole de façon désordonnée dans l'espace. Il ne contrôle toujours pas son véhicule. La noc virevolte derrière lui; Ménoc et moi avons mal au cœur...

Tout à coup, je sens la fausse noc descendre vers le sol. Enfin, nous atterrissons. Toutefois, nous allons toujours très vite. Trop vite!

Fabri touche brutalement le sol.

Bing! Bang! Bong!

Secoué par l'atterrissage, Ménoc a les jambes entortillées autour de moi. De mon côté, j'ai la tête à l'envers.

Soudain, j'entends les pas de Fabri :

— *Désolé!* **Hi, hi!**

— *Chut!* Si Tornu te voit ou t'entend, notre plan tombe à l'eau!

— *Oups!* Je me tais... **Ziiip!**

— *Chuuuut!*

Fabri roule la noc vers la maison de Tornu. Le mal de cœur me saisit de nouveau.

Soudain, j'entends un petit grognement. C'est Lézardo, l'animal de garde de Tornu!

CHAPITRE 12

Le voleur de nocs

Lézardo montre les dents. Aussitôt, Fabri s'arrête.

— *Calme-toi, petit! C'est moi, Fabri.*

L'animal saute sur la jambe de Fabri. Le bonhomme mauve crie de surprise.

— *Ouille!*

— **Qui est là?** gronde soudain une voix.

Nom d'une noc, comme dirait Ménoc. C'est Tornu!

— *Bon... bonsoir!* répond Fabri.

— **Ah! c'est toi, Fabri!**

— *Aïe!* gémit Fabri. *Lézardo me mord toujours la jambe.*

— **Viens à mes pieds, Lézardo. Bon Lézardo!**

Tornu se penche vers Lézardo et le flatte. Ensuite, il lève les yeux et aperçoit la noc.

— *Oui! Elle est même gigantesque!* exagère Fabri.

Tornu sort sa tête et regarde de droite à gauche.

— **As-tu été suivi?** murmure Tornu.

— *Hi, hi! Non,* rigole Fabri.

— **Pas trop fort, idiot! Fais-tu exprès? Tu viens ici au milieu de la nuit, tu apportes une noc géante devant ma maison et tu parles tout haut. Tant qu'à ça, plante un écriteau sur lequel il est écrit : « LES NOCS SONT CACHÉES ICI! ».**

Ménoc et moi tendons l'oreille.

— **Si les autres voyaient cette noc?!** poursuit Tornu. **Tous mes plans pour vendre du nocolachaud, ce breuvage ultra-méga-délicieux, tomberaient à l'eau! À l'eau, mon rêve de devenir riche, riche, RICHE!**

Ménoc me tape sur l'épaule. Il croit maintenant à la culpabilité de Tornu. Je murmure à l'oreille de 3R-V :

— Ouvre la porte.

— Impossible, chuchote 3R-V. La noc est à l'envers. La porte est bloquée.

— Ménoc, balance-toi avec moi. Ainsi, la noc roulera et

nous libérerons la porte.

Aussitôt, nous nous remuons à l'intérieur de 3R-V.

— **La noc!** s'affole Tornu. **Elle grouille! Aide-moi!**

Tornu et Fabri soulèvent la noc, puis la déposent sur le plancher à l'intérieur de la maison.

— **Ouf!** soupire Tornu.

— *Hi, hi!*

— **Pourquoi ris-tu, Fabri? Ce n'est pas drôle. La noc touchait à la terre. Un peu plus et elle germait devant ma maison. VLOUM! Imagine la grosseur du noquier...**

La noc est maintenant à l'endroit. 3R-V active la porte.

— **Oh non!** s'écrie Tornu. **La noc germe quand même. Tous à l'abri!**

La porte s'ouvre et nous sortons. Autour de nous, la pièce déborde de pots contenant des nocs. Il y a des affiches et des cartons promotionnels qui traînent ici et là. Mon regard tombe alors sur Tornu, caché sous la table.

— *Tornu, je t'accuse du vol des nocs!*

— Nous te tenons, voleur de nocs! ajoute Ménoc.

Tornu me regarde, abasourdi. Il balbutie quelques syllabes. De son côté, Fabri tombe sur le dos en riant :

— **Ha, ha, ha!** Tu es tombé dans le piège! Tu as cru que c'était une vraie noc.

CHAPITRE 13

Vloum, vloum, vloum

Fabri agrippe le rebord de la fenêtre pour se lever. Sa main accroche alors un pot de nocs. Le contenant tombe à l'extérieur et se déverse au sol.

— Combien de nocs touchent la terre? demande Ménoc, paniqué.

Fabri se penche sur le rebord de la fenêtre.

— **Euh!** *Quel est le chiffre après dix, déjà? En tout cas, je cours ramasser ces nocs!*

VLOUMM O VLOUM

Fabri est maintenant coincé dans les branches d'un noquier! D'autres arbres germent un peu partout autour de la maison. Je cours vers Fabri et l'aide à se dégager.

— Le sol de votre planète est bien sec... dit Ménoc.

Soudain, il se tourne vers le voleur de nocs :

— Tornu, dis-moi que tu as creusé une rigole d'eau autour de ta maison.

— **Non, pourquoi?**

— **Non!?** Tu gardes des nocs ici sans prendre de **précaution!?** Sans l'eau, les noquiers se répandront à une vitesse **fulgurante.**

— **Je... je... je ne savais pas!**

Déjà, des noquiers apparaissent un peu plus loin.

— Bientôt, les noquiers recouvriront toute la surface de votre planète!

— Il existe probablement un moyen d'enrayer la propagation!

— Un seul moyen, Cosmo. Cueillons toutes les nocs avant qu'elles tombent sur le sol.

94

CHAPITRE 14

Une bonne cueillette

Rapidement, nous nous dispersons autour de la maison afin de cueillir les nocs.

Au bout de quelques minutes, je regarde autour de moi. Les noquiers poussent de plus en plus loin de la maison de Tornu. Pourtant, chacun travaille très fort à la cueillette des nocs, même Tornu!

Les deux têtes viennent à notre secours. Malgré leur aide, les noquiers explosent encore et encore!

— **Nous n'y arriverons jamais,** lance Ménoc. Le sol de votre planète est trop sec : les nocs poussent en quelques secondes! Bientôt, il y aura des noquiers partout et toutes les autres espèces végétales **disparaîtront** de la planète filante!

Tête gauche hoche la tête, découragée.

— **Oooh!** se lamente tête droite. Les noquiers sont si destructeurs!

— **Non!** s'offusque Ménoc. Tout dépend de leur environnement. Les noquiers ne poussent pas près des zones humides. Sur ma planète, tout est ok. Ici, rien ne les arrête.

— **Il y a un lac là-bas,** précise tête gauche.

— Il est trop loin. Lorsque les noquiers atteindront ce cours d'eau, ils recouvriront plus de la moitié de la planète. Si au moins quelqu'un avait pensé à creuser une rigole d'eau autour de sa maison...

Toutes les têtes se tournent vers Tornu.

— **Je ne savais pas!** se défend-il.

— Savais-tu que le vol des nocs me priverait de la seule source de nourriture sur ma planète? demande Ménoc, d'un ton rageur.

— **Non!**

— Et comment as-tu osé reproduire mon empreinte sur les lieux du crime? le questionné-je. ***Ménoc a même cru que j'étais le voleur de nocs!***

— **Bien... je...**

— *Tu as aussi profité de moi!* dit Fabri.

J'espère au moins que tu m'as cuisiné du nocaroni!

— Bi... bien non!

— *Et notre planète* **dans tout ça!** lancent les deux têtes. As-tu pensé une seconde que l'insertion de cette plante exotique sur notre planète *causerait du tort* à nos fleurs, *les espérances?*

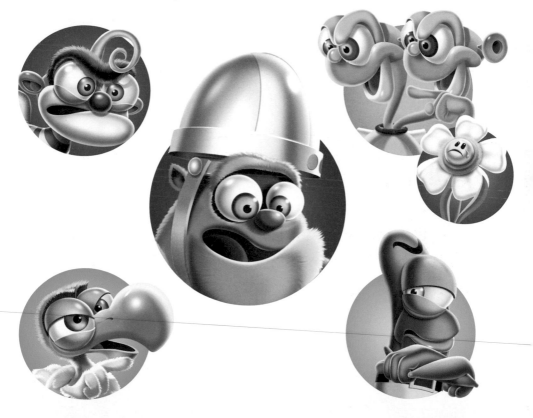

— **Nooonn…**

Tornu évite notre regard. Penaud, il s'éloigne de nous. Rapidement, Ménoc se détourne de lui et nous encourage :

— *Vite, nous n'avons pas une seconde à perdre! Retournons au travail.*

Une noc après l'autre, nous répétons le même geste. Les minutes s'écoulent et les arbres continuent à se répandre à une vitesse fulgurante. Chaque ***vloum*** nous approche un peu plus de l'inévitable.

Je contemple le paysage autour de moi, peut-être pour une dernière fois. Bientôt, la planète filante débordera de noquiers. Ménoc lève les yeux et regarde dans la même direction que moi. Résigné, il cesse de cueillir les nocs… c'est trop tard.

C'est la fin de la planète filante telle que nous la connaissions!

Mes yeux tombent alors sur Tornu, debout au milieu des noquiers. Que fait-il? Tornu tient son casque dans ses mains. Il entre un code et aussitôt, l'appareil se transforme en vrille. Il creuse un trou dans le sol et disparaît.

J'écarquille les yeux. Tornu est en train de fuir, alors que tout est de sa faute!

Soudain, le sol tremble sous mes pieds.

— **Que se passe-t-il?** demande 3R-V.

— *La planète est peut-être allergique aux noquiers!* propose Fabri.

— Une planète, allergique? s'étonne tête gauche.

De mon côté, je regarde vers le trou où Tornu est disparu.

Sans crier gare, un énorme geyser gicle du sol!
Tornu est projeté dans les airs, tout en haut de la
colonne d'eau.

CHAPITRE 15

Tornu, le héros?!

L'eau éclabousse tout sur son passage. Les noquiers sont aspergés de gouttelettes. Rapidement, le bruit des explosions diminue. La progression des noquiers sur la planète ralentit de façon drastique.

La fontaine créée par Tornu a sauvé la planète filante! Nous cherchons Tornu. **_Où est-il tombé?_** Tout à coup, nous l'apercevons perché dans un noquier. Ménoc et Fabri le soulèvent au-dessus de leur tête.

— **_Hourra!_** acclament Fabri, les deux têtes et Ménoc.

— _Tu es notre **sauveur,** Tornu!_ ajoute Fabri.

— **Vo... votre... votre sauveur?** bafouille-t-il.

— Ton idée de geyser est efficace! précise Ménoc.

— Comment as-tu su qu'il y avait une veine d'eau sous nos pieds? demande tête gauche.

— **Je...je... je le savais, c'est tout! J'ai fait tout ça pour m'excuser!** dit-il de façon peu convaincante.

3R-V lui répond :

— Tornu, ça n'excuse pas tes gestes. Toutefois, ça prouve que tu essayes de t'améliorer! C'est ce qui importe, n'est-ce pas?

— **Oui, oui… C'est ça!** baragouine Tornu.

Ménoc ajoute ensuite:

— Tornu, si, au départ, tu m'avais parlé de tes plans pour faire connaître le nocolachaud, j'aurais volontiers accepté de t'aider. Je t'aurais donné une noc et je t'aurais appris à bien cultiver ce fruit. **Avec un peu d'effort et assez d'attention, tu aurais maintenant une belle plantation.**

— Non, non et non! Une plantation de noquiers, c'est beaucoup trop de travail pour moi! Je ne veux plus rien savoir des nocs!

Nous partons tous à rire, excepté Tornu.

— *Tic, tac, file le temps!* chantonne tête droite.

— C'est bientôt l'heure de partir, Ménoc, **ajoute tête gauche.** Nous quittons bientôt l'orbite de ta planète.

— **Bon!** s'exclame Ménoc. Dépêchons-nous à cueillir les nocs restantes sur la planète filante et mettons-les dans un grand sac! Ensuite, je retourne chez moi replanter les nocs sur mes îlots!

Une heure plus tard, Ménoc attache le gros sac de nocs à 3R-V et saute à bord du vaisseau-robot.

— **Merci, mes amis!** Tenez, je vous laisse quelques nocs pour préparer une dernière fois un bon bol de nocolachaud!

— ***Merci beaucoup, Ménoc!***

3R-V est de retour sur la planète filante. Tout en sirotant un bol de nocolachaud, je révèle mon doute à mon ami :

— Tornu a-t-il vraiment imaginé ce plan pour sauver la planète filante, ou essayait-il tout simplement de se sauver?

— Tenons-le à l'œil, me suggère 3R-V. Il pourrait nous préparer d'autres mauvais coups…

Les deux têtes s'approchent de nous et nous montrent les dernières images de la planète Noc. Les choses sont enfin rentrées dans l'ordre.

Les noquiers poussent de nouveau sur les îlots.

Nous reprenons maintenant notre route à destination
d'une nouvelle aventure!

FIN

Table des matières

Aussi disponibles dans la même collection

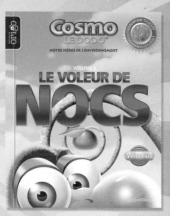

www.cosmolededodo.com